10 SOURIS ACROBATES

Caroline Stills

Illustrations de Judith Rossell

Texte français de Kévin Viala

Éditions
SCHOLASTIC

Pour un groupe sur lequel je peux compter : The Lazy River Writers — C.S.
Pour Amber — J.R.

Catalogage avant publication de Bibliothèque et Archives Canada
Stills, Caroline
[10 little circus mice. Français]
10 souris acrobates / Caroline Stills ; illustrations de Judith Rossell;
texte français de Kévin Viala.
Traduction de : Mice mischief, publié à l'origine sous le titre : 10 little circus mice.
ISBN 978-1-4431-4567-1 (couverture souple)
1. Addition--Ouvrages pour la jeunesse. 2. Calcul--Ouvrages pour la jeunesse.
I. Rossell, Judith, illustrateur II. Titre. III. Titre: Dix souris acrobates. IV. Titre : 10 little circus mice. Français.
QA115.S7814 2015   j513.2'11   C2015-900857-3

Édition publiée par les Éditions Scholastic, 604, rue King Ouest, Toronto (Ontario) M5V 1E1, avec la permission de
Little Hare Books.

5 4 3 2 1   Imprimé en Chine 38   15 16 17 18 19

Les illustrations ont été réalisées au crayon, à la peinture acrylique liquide et avec des collages.
Conception graphique de Vida & Luke Kelly.

10 souris se réveillent.

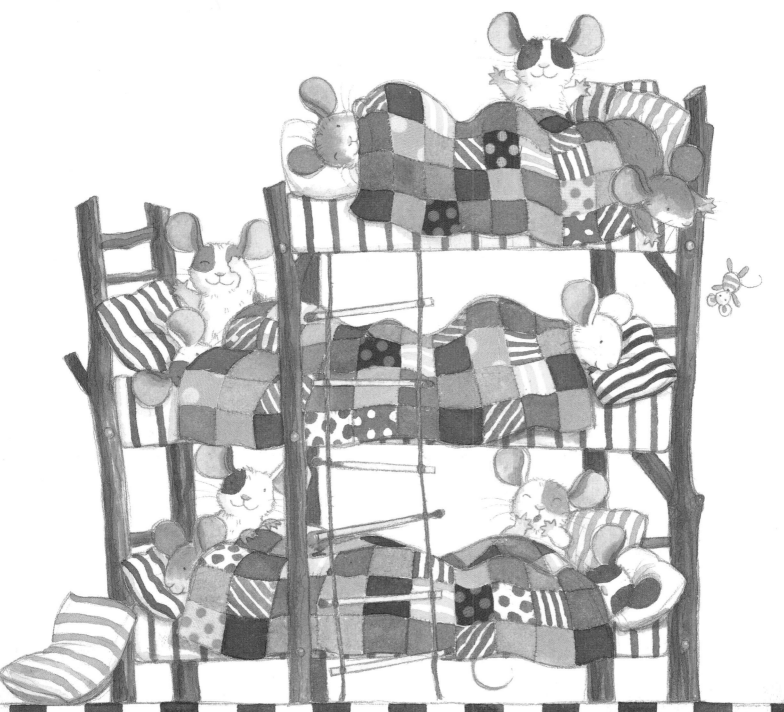

9 souris font leurs lits.

1 souris fait des sauts périlleux.
$$9 + 1 = 10$$

8 souris cuisinent.

2 souris jonglent.

$8 + 2 = 10$

7 souris lavent la vaisselle.

3 souris font des acrobaties.

7 + 3 = 10

6 souris étendent le linge.

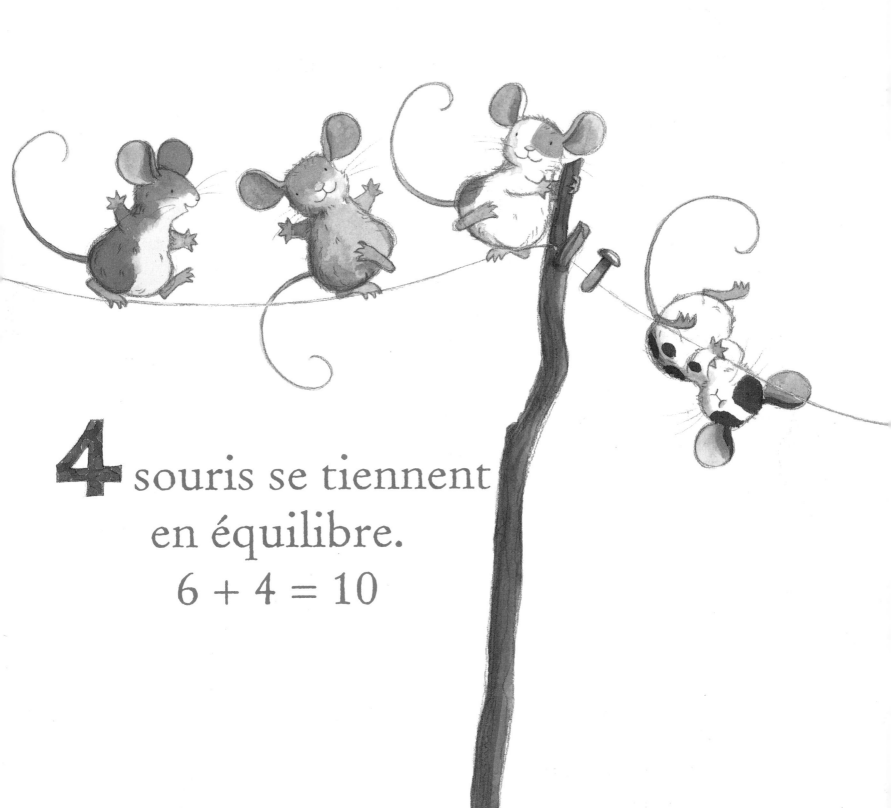

4 souris se tiennent
en équilibre.
6 + 4 = 10

5 souris plient des vêtements.

5 souris font les clowns.

5 + 5 = 10

4 souris frottent gaiement.

6 souris plongent
dans l'eau.
$4 + 6 = 10$

3 souris nettoient le plancher.

7 souris s'amusent sur des crayons.

$$3 + 7 = 10$$

2 souris époussettent les tableaux.

8 souris empilent des cubes.

$2 + 8 = 10$

1 souris astique le lustre.

9 souris se balancent.
1 + 9 = 10

10 souris jouent ensemble.